Trychinebau Deinosoriaid

Kate Agnew O Anna Jones

Addasiad gan Elin Meek

Bananas Gwyrdd

DREF WEN

28 Ffordd yr Eglwys, Yr Eglwys Newydd,
Caerdydd CF14 2EA, ffôn 029 20617860.
Cyhoeddwyd gyntaf yn y Deyrnas Unedig yn 2010
gan Egmont Children's Books Limited,
The Yellow Building, 1 Nicholas Road, London W11 4AN
dan y teitl *Dinosaur Disasters*

Testun © Kate Agnew 2010
Lluniau © Anna Jones 2010
Y mae'r awdur a'r arlunydd wedi datgan eu hawl foesol.
Y fersiwn Gymraeg © 2017 Dref Wen Cyf.
Argraffwyd a rhwymwyd yn Singapore.
Cyhoeddwyd gyda chymorth ariannol Cyngor Llyfrau Cymru.

MIX
Paper
FSC FSC® C018306

Amgueddfa

DEINOSORIAID

Cawl

DEINOSORIAID

Trychinebau

DEINOSORIAID

I Oliver a William,
Darcy a Bonnie.
K.A.

I Audrey a John.
A.J.

Amgueddfa
DEINOSORIAID

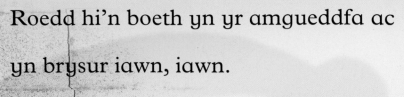

Roedd hi'n boeth yn yr amgueddfa ac
yn brysur iawn, iawn.

6

Roedd Rosa'n gweiddi drwy'r amser, yn uchel iawn.

Roedd Sam yn dechrau cael llond bol.

'Gawn ni fynd i weld y T-Rex?'

gofynnodd i Dad.

Roedd Dad yn cael trafferth gyda'r
bygi.

'Mmm,' meddai, gan geisio taro'r
triseratops.

Dere,
Dad.

Roedd Sam yn gwybod ble i fynd.
Gwasgodd heibio'r dyn â'r camera a'r
merched mawr swnllyd.

Ond doedd T-Rex ddim yn rhuo

heddiw.

Rhaid bod rhywbeth

yn bod.

Dad, Dad!

Rhedodd Sam i nôl Dad.

Ond doedd Dad ddim

wrth y

triseratops.

A doedd e ddim

'nôl wrth y T-Rex

chwaith.

DDIM YN
GWEITHIO

Roedd Sam yn dechrau poeni.

Eisteddodd wrth ymyl y T-Rex a
cheisio peidio crio.

'Wyt ti ar goll?' gofynnodd dyn yn
iwnifform yr amgueddfa.

'Na,' meddai Sam.

Helô 'na

'Ond dwi'n credu

efallai bod Dad a fy

chwaer fach ar goll.'

'Dwed wrtha i

amdanyn nhw,'

meddai'r dyn.

Sibrydodd Sam yn ei glust.

'A,' meddai'r dyn. 'Dwi'n gwybod yn union ble i chwilio.'

A dyma fe'n arwain Sam rownd y gornel at yr wyau deinosoriaid.

'Cwac,' meddai Rosa.

'Ie wir, Cwac,' meddai Dad. 'Ro'n i'n dod i chwilio amdanat ti nawr.'

Edrychodd Dad ar y dyn ac yna

edrych ar ei wats.

'Wwps,' meddai. 'Sori.'

Winciodd y dyn ar Sam.

'Popeth yn iawn,' meddai. 'O leiaf doedd hi ddim yn drychineb deinosoriaid go iawn.'

Cawl
DEINOSORIAID

Roedd Sam yn dal i deimlo braidd yn
simsan felly aeth Dad â nhw i'r caffi.

CAFFI DINO

Amser cinio!

Dywedodd Dad y gallai Sam liwio wrth

iddyn nhw fwyta eu cinio.

Tynnodd Sam y creonau a'r lluniau

deinosoriaid allan o'i fag.

Bwytodd Sam ei frechdanau a lliwio'r triseratops yn las, y stegosorws yn wyrdd a'r T-Rex yn goch fel cawl Dad.

Dim ond sgriblan wnaeth Rosa, ond

dywedodd Dad fod

dim ots, gan mai

un fach oedd

hi.

Rhoddodd Dad yr het fforiwr o fag

Sam ar ei ben.

'Pa liw yw'r diplodocws?' gofynnodd Sam i Dad, oedd yn edrych drwy'r binocwlars.

Porffor neu oren?

'Gad i mi weld y diplodocws,' meddai

Dad.

Pwysodd dros y ford a syllu ar liwio

Sam.

'Gwylia, Dad!' meddai Sam.

'Mae'r llinyn yn mynd i'r cawl!'

Eisteddodd Dad i fyny'n gyflym.

Dyma ei het yn ysgwyd.

Gwylia!

26

Trawodd y llinyn llawn cawl yn erbyn
crys-T Dad.

'Dad!' rhybuddiodd Sam.

Dyma'r het yn ysgwyd ychydig bach

yn fwy.

Estynnodd Dad i'w thynnu

ac aeth yr ysgwyd yn

waeth byth.

Llithrodd yr het oddi ar ben Dad,

bwrw yn erbyn y binocwlars a glanio –

sblash! – yn y bowlen gawl.

'O daro!' meddai Dad wrth geisio

sychu'r cawl oddi ar ei grys-T.

'O'r andros,' meddai Dad pan
edrychodd ar lun Sam. 'Sori,' meddai.

'Mae'n iawn, Dad,' meddai Sam, gan geisio peidio chwerthin. 'Mae coch yn lliw da i bob deinosor.'

'Cwac,' cytunodd Rosa.

Cwac!

Trychinebau
DEINOSORIAID

'Nôl gartref, gwnaethon nhw fisgedi deinosoriaid i de.

Rhoddodd Sam resins i mewn fel
llygaid ac yn ofalus rhoddodd
ei fisged T-Rex ar yr
hambwrdd gyda'r
lleill.

Doedden nhw ddim yn edrych yn rhy dda. Roedd y stegosorws wedi mynd i un ochr ac roedd diplodocws Rosa'n edrych ychydig bach fel neidr heb siâp.

Iym sgrym!

'Dwi'n credu bod y triseratops yn edrych yn fwy fel eliffant-osorws,' chwarddodd Dad.

'Dad, dyw hynny ddim yn ddoniol.

Mae'r bisgedi hyn yn edrych

fel trychineb

deinosoriaid i mi.'

'Paid poeni,' addawodd Dad.

'Byddan nhw'n iawn ar ôl cael eu coginio.'

Ugain munud wedyn tynnodd Dad
nhw allan o'r ffwrn.

O'r andros

Dim ond T-Rex Sam oedd yn dal i
edrych yn iawn.

'Dim ots,' meddai Dad. 'Bydd Mam yn

dwlu arnyn nhw ta beth.'

Bwytodd Blew y ci'r stegosorws a

gwympodd ar y llawr.

Deffrodd Rosa ar ôl bod yn cysgu a dechrau crio. 'Glou,' galwodd Dad o'r gegin. 'Rho fisged iddi i godi ei chalon.'

Glou!

Sylwodd Sam ar unwaith fod yr

eliffant-osorws wedi mynd.

Edrychodd ar Dad, oedd yn brwsio

ychydig o friwsion

oddi ar ei grys-T.

'Dim ond eu profi,'

meddai wrth Sam.

Yn ofalus, dringodd Sam ar y stôl, nôl plât a rhoi ei fisged T-Rex arno.

Aeth â'r plât i'w ystafell wely ac aros i

Mam ddod adref.

'Sut roedd eich diwrnod deinosoriaid chi, bawb?' galwodd hi wrth roi ei bagiau ar y llawr.

Helô!

'Tipyn bach o drychineb, wir,' cyfaddefodd

Dad, gan sychu swper oddi ar ei ffedog.

Daliodd Sam y plât allan.

Roedd ei T-Rex wir yn edrych yn eithaf

da, meddyliodd Sam.

'Iym,' meddai Mam, gan gnoi darn.

'Nawr dyna beth yw deinosor-flasus.'

Gwych!

A rhoddodd hi gwtsh fawr deinosor i

Sam a Rosa a Dad.

'Cwac,' meddai Rosa.

Y Diwedd